Au secours
des kangourous

L'auteur : Mary Pope Osborne a écrit plus de quarante livres pour la jeunesse, récompensés par de nombreux prix. Elle vit à New York avec son mari, Will, et Bailey, un petit terrier à poils longs. Tous trois aiment retrouver le calme de la nature, dans leur chalet en Pennsylvanie.

L'illustrateur : Philippe Masson, né à Rennes en 1965, est issu d'une famille de marins bretons. Actuellement, il vit à Tours avec son amie et ses deux enfants, Lucas et Mona. Il réalise également les dessins de la série Le château magique aux Éditions Bayard.

Pour Ellen Mager, remarquable libraire pour enfants.

Titre original : *Dingoes at Dinnertime*
© Texte, 2000, Mary Pope Osborne.
Publié avec l'autorisation de Random House Children's Books,
un département de Random House, Inc., New York, New York, USA.
Tous droits réservés.
Reproduction même partielle interdite.
© 2009, Bayard Éditions
© 2005, Bayard Éditions Jeunesse pour la nouvelle édition
© 2005, Bayard Éditions Jeunesse pour la traduction française
et les illustrations.

Conception et réalisation de la maquette : Isabelle Southgate.
Colorisation de la couverture ; illustrations de l'arbre, de la cabane
et de l'échelle : Paul Siraudeau.

Loi n° 49 956 du 16 juillet 1949
sur les publications destinées à la jeunesse.
Dépôt légal : 4e trimestre 2005 – ISBN : 978-2-7470-1852-4
Imprimé en Allemagne par CPI – Clausen & Bosse.

Au secours
des kangourous

Mary Pope Osborne

Traduit et adapté de l'américain
par Marie-Hélène Delval

Illustré par Philippe Masson

Huitième édition

bayard jeunesse

Léa

Prénom : Léa

Âge : sept ans

Domicile : près du bois de Belleville

Caractère : espiègle et curieuse

Signes particuliers : ne manque jamais une occasion d'entraîner son frère, Tom, dans des aventures mouvementées, sans se soucier du danger.

Tom

Prénom : Tom

Âge : neuf ans

Domicile : près du bois de Belleville

Caractère : studieux et sérieux

Signes particuliers : aime beaucoup
les livres, qui l'aident à se sortir
de situations périlleuses.

Les quinze premiers voyages de Tom et Léa

Tom et Léa ont découvert dans le bois de Belleville, perchée en haut d'un chêne, une cabane pleine de livres. C'est une

cabane magique !

Elle appartient à la fée Morgane, une magicienne et une célèbre bibliothécaire qui voyage à travers le temps et l'espace pour rassembler des livres.

Nos deux jeunes héros ont déjà vécu des **aventures extraordinaires** ! Il leur suffit d'ouvrir un livre, de poser le doigt sur une image en souhaitant se trouver à l'endroit représenté, et ils y sont aussitôt transportés !

Au cours de leurs quatre dernières aventures, Tom et Léa ont dû résoudre quatre énigmes pour récupérer leurs cartes MB confisquées par l'enchanteur Merlin.

Les enfants ont croisé un requin !

Ils ont aidé un cow-boy à traquer les voleurs de ses chevaux.

Ils se sont retrouvés face à de redoutables lions.

Souviens-toi...

Ils ont exploré la banquise.

Nouvelle mission :

aider Teddy, le petit chien

qui est victime d'un mauvais sort

Si Tom et Léa réussissent
à se faire offrir quatre cadeaux,
il sera délivré.

Sauront-ils éviter tous les dangers ?

 Lis vite les quatre nouveaux
« Cabane Magique » !

★ N° 16 ★
Les dernières heures du *Titanic*

★ N° 17 ★
Sur la piste des Indiens

★ N° 18 ★
Pièges dans la jungle

★ N° 19 ★
Au secours des kangourous

Prêt à suivre Tom et Léa
dans leurs dangereuses aventures ?
Bon voyage !

Résumé des tomes précédents

★ ★ ★

Après avoir reçu leur premier cadeau sur le *Titanic*, et le deuxième dans les Grandes Plaines d'Amérique, Tom et Léa sont transportés dans la jungle, en Inde. Juchés sur un éléphant, ils s'enfoncent dans la jungle, et découvrent un tigre, la patte prise dans un piège. Au risque de leur vie, nos deux héros n'écoutent que leur cœur et libèrent l'animal. Mais la bête sauvage se retourne contre eux… Heureusement, Teddy contre-attaque et la fait fuir. Les deux enfants finissent par rencontrer un ermite, qui leur offre le troisième cadeau, un beau lotus.

Le dernier cadeau

Tom et Léa sont assis sous le porche de leur maison. Tom est plongé dans un livre ; Léa regarde le soleil descendre lentement derrière le bois de Belleville. Soudain, elle pousse son frère du coude :

– Hé, Tom ! Tu as entendu ?

– Entendu quoi ?

– Teddy ! Il nous appelle !

– Tu crois ?

Tom pose son livre et tend l'oreille : un chien aboie, au loin. Un grand sourire éclaire le visage du garçon :

– Tu as raison ! Allons-y !

Il saute sur ses pieds et attrape son sac à dos. Depuis leur retour de la jungle indienne, il l'a toujours sous la main pour être prêt à repartir au premier signal.

Les deux enfants remontent la rue en courant. Ils prennent le sentier du bois et s'arrêtent bientôt au pied du plus grand chêne. La cabane magique les attend, tout en haut. Un museau noir pointe à la fenêtre.

– Te voilà, petit coquin ! s'écrie Léa. On arrive !

« Ouaf ! » se réjouit Teddy.

La petite fille attrape l'échelle de corde et se met à grimper. Tom la suit.

Le petit chien remue la queue en les voyant surgir par la trappe. Tom et Léa s'approchent pour le caresser :

– Bonjour, Teddy !

Chacun d'eux reçoit un bon coup de langue sur la joue.

– La lettre de Morgane est encore là, dit Léa.

Les enfants la connaissent par cœur, maintenant :

Ce petit chien est victime d'un sort.
À vous de l'aider !
Si on vous offre quatre cadeaux,
il sera délivré.
Le premier cadeau voyage sur un paquebot.
Le deuxième viendra des Grandes Plaines,
le troisième d'une forêt lointaine.
Et qui vous offrira le quatrième ?
Un kangourou !
Soyez prudents, avisés, courageux et...
un peu fous !

Morgane

À côté de la lettre, il y a les trois cadeaux que Tom et Léa ont rapportés de leurs premiers voyages : la montre venue du *Titanic*, la plume d'aigle de l'Ouest américain et la fleur de lotus cueillie en Inde.

– Dès que nous aurons le cadeau du kangourou, fait remarquer Léa, Teddy sera délivré de son mauvais sort.

Tom approuve :

– Et, aujourd'hui, nous allons sûrement partir pour l'Australie. C'est le pays où vivent les kangourous.

Teddy pleurniche et gratte de la patte un livre posé dans un coin. Tom le ramasse et s'écrie :

– Qu'est-ce que je te disais !

Le titre du livre est *Aventure en Australie*.

– Génial ! s'enthousiasme Léa.

Elle se penche vers le chien :

– Prêt à rencontrer un kangourou ?

« Ouaf ! »

Tom pose son doigt sur le livre, ferme les yeux et déclare :

– Nous souhaitons aller là-bas !

Aussitôt, le vent se met à souffler, la cabane à tourner.

Elle tourne plus vite, de plus en plus vite. Le vent hurle.

Puis tout s'arrête, tout se tait.

Un gros dormeur

Tom ouvre les yeux. Une chaude lumière entre à flots par la fenêtre de la cabane.

– Chouettes chapeaux ! apprécie Léa.

Son frère et elle sont coiffés de véritables couvre-chefs d'explorateurs. Tom dit :

– Morgane veut nous protéger du soleil !

Les deux enfants vont regarder dehors. La cabane magique s'est transportée au cœur d'une forêt broussailleuse, où poussent des buissons et des arbres secs et bruns.

– Il ne doit pas pleuvoir souvent, par ici ! observe Tom.

Il s'accroupit pour feuilleter le livre et trouve l'image qui correspond au paysage. Il lit :

La forêt australienne subit de longues périodes de sécheresse, pendant lesquelles il ne tombe pas une goutte d'eau. Mais, à certaines époques de l'année, de fortes pluies surviennent parfois brusquement.

Léa fronce le nez :

– Ça sent le feu de bois. On dirait que quelqu'un fait un barbecue.

Tom hume l'air à son tour :

– Oui, c'est sûrement un barbecue !

Il retourne à la fenêtre et aperçoit un filet de fumée qui flotte au-dessus des arbres, un peu plus loin :

– Ce sont peut-être des campeurs.

– Allons voir, décide Léa.

Tom glisse le livre dans son sac à dos. Léa lui conseille :

– Si tu portes Teddy dans le sac, ce sera plus pratique.

Tous deux descendent par l'échelle de corde. Ils ont à peine posé le pied par terre que le vent chaud manque d'emporter leurs chapeaux.

Léa désigne la fumée grise dans le ciel bleu :

– C'est par là !

Les enfants se mettent en route. Ils marchent au milieu des arbustes desséchés. Des lézards s'enfuient à leur passage, filant comme des flèches sur le sol craquelé.

« Ouaf ! Ouaf ! » aboie Teddy en passant sa petite tête hors du sac à dos.

– Oooooh ! souffle Tom.

Un couple d'oi- seaux bizarres vient d'apparaître entre des buissons.

Ils sont bien plus grands que Tom, et ils ont une drôle d'allure, avec leur gros ventre, leurs longues pattes et leur cou maigre.

– C'est quoi, ces bêtes ? rigole Léa.

Son frère pose son sac pour en sortir le livre. Il tourne les pages et finit par trouver une photo représentant les deux volatiles :

– Ça s'appelle des émeus, répond-il.

Il lit à haute voix :

Les émeus sont des oiseaux de grande taille. Ils ne vivent qu'en Australie. Leurs petites ailes ne leur permettent pas de voler, mais, s'ils sont en danger, ils peuvent courir à 48 kilomètres à l'heure.

– Wouah ! fait Léa.

« Ouaf ! Ouaf ! »

Teddy saute du sac et jappe furieusement. Les émeus le toisent d'un air méprisant et s'éloignent sur leurs grandes pattes.

21

Tom écrit dans son carnet :

Émeus : grands oiseaux fiers
qui ne volent pas.

– Regarde ! s'exclame alors Léa. Un nounours vivant !

Tom lève les yeux. Une espèce de petit ours est blotti sur une branche fourchue et dort profondément. Il a des oreilles rondes, un nez noir, un épais pelage gris et de longues griffes recourbées.

– Qu'il est mignon ! s'attendrit Léa.

– Ce n'est pas un ours, explique Tom. C'est un koala.

– Bonjour, gros dormeur ! murmure Léa en caressant la douce fourrure du koala.

Celui-ci ouvre ses yeux ronds et la regarde tranquillement.

Tom cherche une image de koala dans le livre. Il lit :

Le koala ressemble à un ours, mais c'est
un marsupial, comme le kangourou :
la femelle porte ses petits dans
une poche de son ventre. Les koalas
se nourrissent de feuilles d'eucalyptus,
un arbre d'Autralie qui sent très bon.
Les incendies de forêt, qui détruisent
leur garde-manger, menacent
l'existence des koalas. De plus,
ils se déplacent très lentement
et ne peuvent échapper à la fumée
et aux flammes.

Tom note tout de suite dans son carnet :

Le feu : un danger
pour les koalas

Le koala a refermé les yeux. Léa s'inquiète :
– Qu'est-ce que tu as ? Tu ne te sens pas
bien ?

– Mais non, la rassure Tom, il va très bien. Écoute ce que dit le livre :

Comme les kangourous, les koalas dorment le jour, quand le soleil est chaud. Le mot *koala* signifie : « qui ne boit pas ». Les koalas trouvent l'eau dont ils ont besoin dans les feuilles d'eucalyptus.

En lisant ça, Tom sent qu'il a la bouche sèche :

– J'aimerais bien boire quelque chose, tiens !

– Et moi donc ! dit Léa.

Teddy halète en tirant la langue. Lui aussi, il a soif !

– Essayons de rejoindre les campeurs, propose Tom. Ils ont sûrement de l'eau.

Il remet le chien dans le sac, garde le livre sous son bras au cas où il devrait chercher un renseignement, et il repart, suivi de Léa.

Un long cri les fait soudain sursauter. On dirait une sorte de rire. Teddy grogne.

– Qu'est-ce que c'est ? murmure Tom, pas très rassuré.

Grands pieds

Tom et Léa regardent autour d'eux pour comprendre d'où provient ce mélange de gloussements et d'ululements.

– Là ! s'écrie enfin Léa en montrant du doigt un gros oiseau perché dans un eucalyptus.

Son poitrail est clair, les plumes de ses ailes et de sa queue sont brun et roux, avec un peu de bleu ; son long bec noir a l'air bien dur. Il observe les enfants de son œil rond et pousse de nouveau son drôle de cri.

– Ça alors ! lâche Tom.

Il y a une image de l'oiseau dans le livre.
Tom lit :

Le kookabura est un martin-pêcheur
géant. On l'appelle aussi Jean-le-Rieur.
Par ses cris, il éloigne les autres oiseaux
de son territoire. Il s'aventure parfois
jusque dans les villes, où il réveille
les gens à l'aube et mange les poissons
rouges de leurs bassins.

Tom note aussitôt :

Kookaburra :
pêche les poissons rouges.

– Et cette chose-là, demande Léa, qu'est-ce que c'est ?

Elle désigne une masse d'un brun bleuté, dans un creux du sol.

Tom hausse les épaules :

– Je ne sais pas. Tu crois que c'est vivant ?

Tous deux s'avancent prudemment. Léa murmure :

– On dirait que ça respire…

Ils s'avancent encore et découvrent un animal couché sur le dos, ses courtes pattes de devant croisées sur la poitrine.

Il a de très grands pieds, de larges oreilles de lapin, un museau de cerf, une queue forte et longue et une bosse sur le ventre.

Tout à coup, une petite tête en émerge.

– Ooooh ! souffle Tom.

– C'est une maman kangourou avec son bébé dans sa poche ! s'écrie Léa.

– Formidable ! renchérit son frère. C'est peut-être elle qui va nous faire un cadeau !

Leurs voix réveillent la grosse bête. Elle saute hors de son lit de terre, fixe les

intrus d'un œil mécontent et frappe le sol de ses grands pieds.

– Oh, désolée ! s'excuse Léa. On ne voulait pas vous déranger !

La mère kangourou l'examine avec curiosité et s'approche d'un bond. Léa fait pareil : elle saute vers la bête à pieds joints. Le kangourou saute. Léa saute.

Tom n'en croit pas ses yeux : ce kangourou est tellement gracieux ! Il semble planer dans les airs, et retombe sur le sol avec la légèreté d'un papillon.

Le garçon lit dans le livre :

Le kangourou est le plus connu des marsupiaux. C'est aussi un macropode, ce qui signifie « aux grands pieds ».
Ses pattes arrière sont si longues qu'il tomberait sur le nez s'il essayait de courir ! Il avance par bonds ; sa queue lui permet de garder l'équilibre. En prenant de l'élan, un kangourou serait capable de sauter par-dessus un autobus.

– Ne te fatigue pas, Léa ! dit Tom à sa sœur. Tu ne sauteras jamais aussi haut qu'elle !

Il écrit dans son carnet :

Kangourou aux grands pieds :
            peut sauter
     par-dessus un autobus.

Soudain, le kangourou se fige. Son bébé disparaît au fond de sa poche.

– Qu'est-ce qui ne va pas ? s'inquiète Léa.

– Grrrrr ! gronde Teddy en se penchant hors du sac à dos.

Quelque chose remue dans les buissons. L'instant d'après, trois grands chiens sauvages couleur de sable surgissent et rampent vers eux, l'air menaçant. Teddy gronde encore. Les chiens avancent avec lenteur.

Brusquement, la mère kangourou s'enfuit à grands bonds, sautant en zigzag par-dessus les rochers et les buissons. Les chiens se lancent à ses trousses avec d'affreux glapissements.

– Stop ! leur ordonne Léa. Arrêtez ! Laissez-la tranquille !

Et elle se met à courir derrière les chiens.

Un bébé abandonné

« Ouaf ! Ouaf ! » aboie Teddy.

– Léa ! crie Tom. Attends-moi !

Et il s'élance à son tour derrière sa sœur, le livre sous le bras.

Les enfants traversent des broussailles, se faufilent entre les eucalyptus. Le sol dur et sec résonne sous leurs pieds. Tom ne lâche pas des yeux Léa, qui s'arrête soudain et se laisse tomber sur les genoux. Il lui lance :

– Qu'est-ce qui t'arrive ?

– Viens vite, Tom !

Tom arrive, tout essoufflé. Léa est penchée sur une petite chose tremblante, allongée dans l'herbe jaunie : le bébé kangourou !

La fillette lui parle doucement :

– Ne pleure pas, Jo ! Je suis là !

Puis elle se tourne vers son frère :

– Sa mère l'a abandonné ! Comment est-ce possible ?

– Je ne sais pas, dit Tom.

Il pose son sac, et Teddy en profite pour

sauter par terre. Pendant que Tom feuillette le livre, le chiot renifle le bébé kangourou.

– Arrête ! le gronde Léa. Tu vas lui faire peur.

Le chiot recule et s'assied, obéissant. Pendant ce temps, Tom a trouvé le passage qu'il cherchait. Il lit :

Le plus féroce ennemi du kangourou est le dingo, le chien sauvage d'Australie. Poursuivie par des dingos, une mère kangourou préfère jeter son petit hors de sa poche pour sauter plus facilement. Elle entraîne alors les chiens au loin. Si elle réussit à leur échapper, elle retourne ensuite chercher son bébé.

– Oh ! gémit Léa. J'espère qu'elle leur échappera !

– Moi aussi, soupire Tom.

Léa caresse la petite bête :

– Elle va revenir, ta maman, tu sais !

Elle se tourne vers son frère :

– Touche-le, Tom ! Sens comme il est doux !

Tom avance la main. Léa a raison : c'est la plus douce fourrure qu'il ait jamais caressée !

Le bébé kangourou fixe les enfants de ses grands yeux bruns sans cesser de trembler. Soudain, il se redresse, s'approche du sac de Tom en trois bonds et saute dedans la tête la première.

Les enfants éclatent de rire.

– J'ai une idée ! dit Léa. Si tu portes ton sac

par-devant, il se croira dans la poche de sa mère.

Tom pose le livre, et sa sœur l'aide à installer le sac sur son ventre. Le bébé kangourou est plus lourd qu'il ne le pensait !

– Et voilà ! Tu as tout d'une dame kangourou.

– Ce n'est pas drôle ! grogne Tom.

Mais il tapote gentiment la tête du bébé :

– Ne t'en fais pas, Jo ! Reste là, bien tranquille, jusqu'à ce que ta maman revienne !

– Pourvu qu'elle ne tarde pas… ! marmonne Léa.

Elle arrache une poignée d'herbe et la tend au petit :

– Tiens ! Tu en veux ?

Le petit kangourou se contente de la regarder fixement.

Pendant ce temps, Tom scrute les profondeurs de la forêt : pas la moindre trace de la mère kangourou ! Mais il remarque autre chose :

– Léa ! Regarde !

Le filet de fumée est devenu un épais nuage noir. L'odeur de brûlé est de plus en plus forte.

– Qu'est-ce qu'ils fabriquent, ces campeurs ? grommelle sa sœur.

Tom a peur, tout à coup. Il balbutie :

– Et si… et si c'était…

Au loin, un arbre s'enflamme brusquement.

– … un incendie de forêt !

La forêt brûle

— Le feu ! s'affole Léa.

— Tout est tellement sec, ça va brûler comme de la paille, dit Tom. Filons !

— On ne peut pas laisser Jo !

— Bien sûr que non ! On l'emporte !

— Mais si sa mère revient, et qu'elle ne le retrouve pas ?

Tom hésite. À ce moment, derrière eux, le kookabura s'envole en poussant de grands cris ; les émeus détalent de toute la vitesse de leurs longues pattes. L'air s'emplit de fumée.

Les enfants entendent déjà le crépite-
ment des flammes.

– On n'a pas le choix ! décide Tom.
Retournons à la cabane avant qu'elle ne
brûle aussi !

– D'accord ! Seulement… c'est dans
quelle direction ?

– Euh… par là, je crois…

Tom n'est pas très sûr de lui. Mais la
fumée lui pique les yeux. Il dit :

– De toute façon, il ne faut pas rester ici !
Allez, viens !

Tom se met à courir, Teddy à son côté.
Le bébé kangourou se blottit tout au fond
du sac.

– Je vous rattrape, annonce Léa. J'ai
juste un truc à faire avant…

– Qu'est-ce que tu… ? proteste Tom.

Mais sa sœur est déjà partie de l'autre
côté.

– Léa ! Reviens !

Non loin de là, des branches enflammées tombent des arbres. De noirs tourbillons de fumée obscurcissent le ciel.

– Léa ! crie Tom, paniqué.

La fumée le fait tousser. Il s'essuie les yeux. La chaleur devient insupportable.

« Ouaf ! Ouaf ! » jappe Teddy, qui s'enfuit au galop.

Tom ne peut pas s'attarder plus longtemps.

– Léa, dépêche-toi ! lance-t-il encore désespérément, avant de partir derrière le chien.

Les yeux lui piquent tellement qu'il est aveuglé. Il avance, les bras tendus pour éviter les buissons, guidé par les aboiements de Teddy.

Le bébé kangourou est lourd, les courroies du sac tirent sur les épaules du garçon. C'est difficile de courir, avec ce poids sur le ventre. Et Léa ? Que fait-elle ?

Enfin, Tom entend la voix de sa sœur :
– Tom ? Où es-tu ?
– Ici ! Je suis ici !

La petite fille émerge d'un nuage de fumée, toussant, pleurant. Elle porte quelque chose dans ses bras. C'est le koala !

– Vite, Léa !

« Ouaf ! Ouaf ! » aboie Teddy, l'air de dire : « Suivez-moi ! »

Alors les enfants le suivent, portant l'un le bébé kangourou, l'autre le petit koala. Et voilà qu'un énorme rocher rouge leur barre le chemin.

Au pied du rocher, Teddy les attend ; derrière lui se devine l'entrée d'une grotte.

Le chien aboie encore et disparaît à l'intérieur.

6

D'étranges peintures

Les enfants pénètrent à leur tour dans la caverne. L'air y est nettement plus frais qu'à l'extérieur ; Tom et Léa respirent à pleins poumons.

« Ouaf ! Ouaf ! »

Teddy court devant, quelque part dans le noir.

– Je n'y vois rien, grogne Tom.

– Moi non plus ! Allons-y tout de même, Teddy nous appelle !

Ils se prennent la main à tâtons et avancent prudemment. Tom s'appuie à

la paroi de sa main libre. Le bébé kangourou s'agite dans le sac. Depuis le fond de la caverne, des aboiements les encouragent :

« Ouaf ! Ouaf ! Ouaf ! »

Soudain, Tom trébuche contre quelque chose de mou et de chaud. Il pousse un cri.

– Qu'est-ce qu'il y a ? s'inquiète Léa.

« Ouaf ! Ouaf ! »

Ce n'est que Teddy ! Tom sent la queue du petit chien lui battre les jambes. Il s'accroupit :

– Tu m'as fait peur, petit coquin !

Le chien jappe encore, et Léa traduit :

– Il dit qu'il a un truc à nous montrer.

Teddy pousse un long hurlement. Il se produit alors un phénomène étrange : un trait de lumière blanche se met à onduler dans l'obscurité. Il grandit jusqu'à ressembler à un serpent géant rampant sur la paroi. Tout autour apparaissent des empreintes de mains fluorescentes.

– C'est peint sur le rocher, chuchote Léa.

– Oui, chuchote aussi Tom. Mais qu'est-ce que c'est ?

– Je ne sais pas.

Léa lâche son frère et pose la main sur l'une des empreintes. Tom l'imite. Le rocher est lisse et tiède. On dirait presque qu'il respire.

Tout à coup, une lumière blême illumine brièvement la caverne. Un grondement sourd fait vibrer la paroi.

– Que se passe-t-il ? souffle Tom en retirant sa main comme si le rocher l'avait brûlé.

Un autre grondement s'élève.

– Ça ressemble au tonnerre, observe Léa.

« Ouaf ! Ouaf ! »

– Hé ! Teddy se sauve ! crie la petite fille.

Elle attrape Tom par la main et se lance à la poursuite du petit chien, qui repart au galop vers l'entrée de la caverne, sans cesser d'aboyer.

Une vive clarté les aveugle, et le grondement retentit de nouveau.

– Des éclairs ! comprend Léa. C'est un orage !

Les enfants ressortent de la grotte sous une pluie battante.

7

La pluie, la pluie, la pluie !

Teddy jappe joyeusement, Jo passe son museau par l'ouverture du sac. Blotti dans les bras de Léa, le koala cligne des yeux, étonné. La petite fille renverse la tête et ouvre grand la bouche. Tom imite sa sœur. C'est la meilleure eau qu'ils aient jamais bue !

Peu à peu, l'averse s'apaise. Il ne tombe plus qu'une petite bruine. Une épaisse vapeur monte du sol noirci et des buissons calcinés. La pluie a éteint l'incendie.

Léa caresse la tête du koala :

– Tout va bien. Je vais te déposer dans un bel eucalyptus, et tu vas finir tranquillement ta sieste !

– Je vois un arbre qui n'a pas brûlé, là-bas, déclare Tom.

Ils s'en approchent, et Léa installe le koala à la fourche de deux grosses branches.

– Tu peux te rendormir, maintenant ! murmure-t-elle. Dis-toi que le feu n'était qu'un mauvais rêve !

La gentille bête la regarde. Puis elle referme les yeux et se rendort comme si rien ne s'était passé.

Tom soupire :

– Ouf ! On a de la chance que cet orage ait éclaté !

Léa sourit :

– Ce n'est pas de la chance, c'est de la magie.

– De la magie ?

– Évidemment ! Le serpent lumineux,

les mains dans la grotte, ce sont eux qui ont fait venir l'orage.

Tom hausse les épaules :

– N'importe quoi !

Jo s'agite dans le sac. Tom sursaute.

– Hé ! se souvient-il soudain. Il faut qu'on remette ce petit à l'endroit où sa mère l'a laissé !

– C'était où, déjà ?

– Je ne sais plus…

Les enfants examinent les alentours. Tous ces arbres noircis se ressemblent.

– Teddy saura nous conduire ! se rassure Léa. N'est-ce pas, Teddy ?

Le petit chien comprend tout de suite. Il se met à trotter, et les enfants se dépêchent de le suivre, en dérapant sur la terre boueuse.

Tom a de plus en plus mal aux épaules : il est vraiment lourd, ce bébé kangourou !

« Ouaf ! Ouaf ! »

Teddy s'est arrêté, la patte posée sur le livre que Tom a abandonné là en s'enfuyant.

– Bravo, Teddy ! le félicite Léa.

– C'est le bon endroit, reconnaît Tom. Merci, Teddy ! Tu nous as bien aidés, une fois de plus !

Le garçon ramasse le livre. Par chance, il est en bon état, pas du tout brûlé. La couverture est mouillée, mais, à l'intérieur, les pages sont juste un peu humides.

– Ne t'en fais pas, Jo, dit Léa. On va rester avec toi jusqu'à ce que ta maman revienne.

« Si elle revient », songe Tom avec angoisse.

Les deux enfants attendent, debout sous les dernières fines gouttes de pluie. Ils attendent longtemps. Tom se sent de plus en plus triste : et si la mère kangourou était revenue entre-temps, et repartie parce qu'elle n'avait pas trouvé son bébé ? Et si

elle avait été dévorée par les féroces dingos ?
Et si elle était morte dans l'incendie… ?

Tom n'ose plus regarder sa sœur de peur d'être obligé de prononcer ces mots terribles.

– Je sais ce que tu penses, murmure la petite fille.

Tom se baisse pour caresser Jo et il soupire :

– Patientons encore un peu. Si elle ne revient pas, on emportera Jo à la maison avec…

« Ouaf ! » aboie doucement Teddy.

– Écoute ! souffle Léa.

Tom tend l'oreille.

Ce n'est d'abord qu'un bruit léger. Peu à peu, il devient plus net. Ça fait « squish, squash »… C'est un bruit de grands pieds sautant dans la gadoue !

Le Serpent Arc-en-ciel

D'un bond, la mère kangourou jaillit des buissons. Tous s'observent un instant, sans bouger, les enfants, le chiot, le bébé et sa maman. Puis Jo commence à s'agiter dans le sac de Tom.

– Tu veux sortir, hein ! dit le garçon en riant.

Il pose le sac par terre. Le bébé kangourou en saute, et, hop, hop, hop ! il plonge tête la première dans la poche de sa mère. Il gigote pour se retourner, et pointe son long museau d'un air coquin. Tom et Léa applaudissent, heureux et soulagés.

La petite fille taquine son protégé :

– Tu as l'air drôlement content de retrouver ta maison !

Tom fait mine d'être vexé :

– Ben quoi ? Tu n'étais pas bien, dans ma poche à moi ?

La mère kangourou tapote affectueusement la tête de son bébé. Puis elle adresse aux enfants un regard reconnaissant.

– Elle nous remercie, commente Léa.

– Il n'y a pas de quoi, madame Kangourou ! fait Tom en s'inclinant.

– Votre petit Jo est trop mignon ! renchérit Léa.

La mère kangourou remue ses oreilles. Puis elle ramasse sur le sol un morceau d'écorce et le tend aux enfants.

– Oh ! s'exclame Tom. Le voilà, le cadeau offert par un kangourou !

La grosse bête se détourne et s'éloigne en bondissant gracieusement.

– Merci ! lui lance Léa.

« Ouaf ! Ouaf ! » aboie Teddy.

Tom examine le morceau d'écorce.

Un motif en forme de serpent est peint dessus, le même que celui de la grotte.

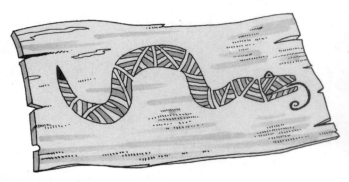

– Qu'est-ce que ça représente ? se demande Tom.

Il ouvre le livre et tourne les pages humides avec précaution. Bientôt, il trouve une reproduction de ce curieux dessin. Il lit :

D'après les archéologues, les premiers
habitants d'Australie, les Aborigènes,
ont peuplé le pays il y a environ
50 000 ans. Les Aborigènes, eux,
pensent avoir vécu là depuis la création
du monde ! Ils appellent cette époque
lointaine « le Temps du Rêve ».
Au Temps du Rêve, le Serpent
Arc-en-ciel leur a donné la pluie,
qui fait vivre toute chose.

– Serpent Arc-en-ciel…, c'est un joli
nom, s'émerveille Léa.

Tom continue :

Les artistes aborigènes le représentent
souvent sur les parois des grottes
et sur des morceaux d'écorce. Lors
de cérémonies, ils honorent le serpent
magique en ajoutant l'empreinte
de leurs mains autour de lui.

Sa sœur s'exclame :

– Ah ! Ça explique tout !

– Ça explique quoi ?

– On a posé nos mains près de l'image, et le Serpent a éteint l'incendie.

« Ouaf ! » approuve Teddy.

Tom fronce les sourcils :

– Mais il n'existe pas en vrai ; c'est une légende ! Il appartient au Temps du Rêve, pas à notre temps à nous !

Léa sourit :

– En ce cas, comment expliques-tu ça ? demande-t-elle en levant le doigt.

Un magnifique arc-en-ciel resplendit dans le grand ciel australien.

– Oooooh ! lâche Tom.

Bien que le soleil soit de nouveau chaud, le garçon en a la chair de poule.

– C'est Teddy qui nous a conduits dans la grotte, reprend Léa. On peut lui dire merci !

– Alors, il savait que la peinture du serpent y était ? s'étonne son frère.

– Je te l'ai déjà dit, il est un peu magique, lui aussi.

Tous deux regardent le petit chien. Teddy remue la queue, et ses babines se retroussent dans une espèce de sourire.

– Hé ! se réjouit alors Léa, on a nos quatre cadeaux ! Rentrons vite ! Teddy va être délivré du mauvais sort.

« Ouaf ! » fait joyeusement le chiot.

Et il démarre au trot.

– Suivons-le ! s'écrie Léa. Il nous montre le chemin.

La petite fille s'élance. Tom range le morceau d'écorce peint dans son sac et emboîte le pas à sa sœur.

– Pourvu que la cabane n'ait pas brûlé ! marmonne-t-il.

Heureusement, dans cette partie de la forêt, les eucalyptus sont toujours verts.

Et voilà la cabane ! Elle est intacte ! Elle les attend !

Léa grimpe à l'échelle de corde. Tom remet Teddy dans le sac à dos pour grimper à son tour.

Dès qu'il se hisse dans la cabane, le petit chien se tortille et saute sur le sol. Il se précipite vers le livre sur le bois de Belleville et met une patte dessus en aboyant.

– Dis donc, toi ! Tu es bien pressé ! fait Tom en riant.

Il pose le doigt sur l'image et déclare en fermant les yeux :

– Nous souhaitons revenir chez nous !

– Oui ! ajoute Léa. De l'autre côté de l'arc-en-ciel !

Le vent se met à souffler, la cabane à tourner, plus vite, de plus en plus vite.

Puis tout s'arrête, tout se tait.

La métamorphose

– Bienvenue, les enfants !

En entendant cette belle voix grave, Tom ouvre les yeux.

– Morgane ! s'écrie Léa.

Et elle saute au cou de la fée. Tom vient l'embrasser aussi. Cela fait si longtemps que les enfants ne l'ont pas vue !

– C'est bon de vous retrouver, tous les deux, dit Morgane.

« Ouaf ! Ouaf ! »

– Et de te retrouver, toi aussi ! ajoute la fée en souriant au petit chien.

Léa sort fièrement le morceau d'écorce du sac de son frère :

– Regardez ! Le cadeau offert par un kangourou !

– Nous avons rassemblé les quatre cadeaux ! déclare Tom.

– Beau travail, les enfants !

Elle se penche, soulève au bout de sa chaîne la montre venue du *Titanic* et se met à raconter :

– Je connais un garçon qui perd souvent son temps. Cette montre lui apprendra que chaque minute est précieuse. Il devra en faire bon usage.

La fée désigne le deuxième cadeau, la plume d'aigle des Indiens Lakotas :

– Parfois, ce garçon se montre trop craintif. Cette plume lui enseignera la bravoure.

Puis elle saisit entre ses doigts la fleur de lotus cueillie en Inde.

– Et il ne respecte pas toujours la nature. Cette fleur lui rappellera que notre Terre est pleine de merveilles.

Morgane prend enfin le morceau d'écorce des Aborigènes d'Australie et conclut :

– Ce garçon trouve inutile d'étudier l'histoire du monde. Cette peinture lui révélera la beauté et la sagesse des traditions de ses peuples. Je vous remercie d'avoir brisé le mauvais sort qui l'emprisonnait.

– De qui parlez-vous ? demande Léa.

– Oui, s'étonne Tom. Quel garçon ?

Morgane sourit et désigne le petit chien :

– Celui-ci !

« Ouaf ! Ouaf ! Ouaaaa… »

Un tourbillon de vent enveloppe Teddy. Devant les yeux ébahis de Tom et de Léa, son image se brouille, se déforme, s'allonge…

Et soudain, il n'y a plus de chien. Devant eux se tient un garçon.

Le Temps du Rêve

Le garçon est à quatre pattes sur le plancher de la cabane. Il a un visage rieur, constellé de taches de rousseur, et des cheveux châtain clair, de la même couleur que le pelage de Teddy.

Il doit avoir neuf ou dix ans.

– Je vous présente mon jeune aide-bibliothécaire du château de Camelot ! dit Morgane.

– Je… je ne suis plus un chien ? bégaie le garçon.

– Tu ne l'es plus !

– Oh, merci ! s'écrie-t-il en sautant sur ses pieds pour embrasser la fée.

Celle-ci lui ébouriffe les cheveux :

– La prochaine fois que tu voudras essayer une formule de mon livre de magie, tu demanderas d'abord la permission.

Le garçon sourit, un peu honteux :

– Promis !

Puis il se tourne vers Tom et Léa :

– J'étais malheureux d'être transformé en chien. Mais ça m'a bien plu, de vivre ces aventures avec vous.

– Tu étais un chien très malin ! le complimente Léa. Quel est ton vrai nom ?

– Oh, vous pouvez continuer à m'appeler Teddy ! Ou Ted, si vous préférez.

– D'accord, Ted !

Tom approuve de la tête, encore stupéfait d'avoir assisté à cette métamorphose.

– Tu... tu nous as beaucoup aidés, Ted, dit-il, retrouvant enfin sa voix.

– Oh non ! C'est plutôt vous deux qui m'avez aidé ! Vous avez brisé le mauvais sort, et, grâce à vous, j'ai des tas de nouvelles histoires pour la bibliothèque de Morgane.

– Ah bon ? s'étonne Léa.

Ted énumère avec enthousiasme :

– Mais oui ! L'histoire du *Titanic*, celle de la Dame blanche des Bisons, celle du tigre blessé, et la légende du Serpent Arc-en-ciel ! Je vais les mettre par écrit dès mon retour. Ainsi, les lecteurs qui viennent à la Bibliothèque pourront les découvrir.

– Ted est très doué pour la magie, intervient la fée, mais il est aussi un bon écrivain !

– Quelle chance ! s'exclame Léa, un peu envieuse.

– Allons ! Il est temps que nous repartions à Camelot ! dit Morgane.

– Oh ! Déjà ? se désole Léa.

– Je suis certain que nous nous reverrons, la rassure Ted.

– Je l'espère ! soupire Tom, soudain tout triste.

Léa se dirige vers la trappe. Son frère ramasse son sac à dos et la suit à regret.

Arrivés en bas du grand chêne, ils lèvent la tête. Morgane et Ted se penchent à la fenêtre et leur font de grands signes. Les derniers rayons du soleil les illuminent d'une lumière dorée.

– La cabane magique reviendra bientôt,
je vous le promets, leur lance la fée.

– Ouaf ! Ouaf ! fait Ted en riant. Au
revoir !

Un tourbillon de vent les enveloppe ;
leur image se brouille. L'instant d'après,
la cabane magique a disparu. Tom et Léa
restent un moment, le nez en l'air, à regarder le sommet du grand chêne. Mais ils ne
voient rien d'autre que des branches.

Ils reprennent en silence le chemin qui mène hors du bois. Quand ils débouchent dans leur rue, le soleil plonge derrière les toits des maisons. Un vol d'oiseaux noirs se détache sur le fond rosé du ciel.

Léa dit enfin :

– On a passé de bons moments, avec Teddy, je veux dire Ted, tu ne trouves pas ?

– Oh oui ! C'était comme…

Tom cherche les mots justes.

– … comme d'être les héros d'histoires extraordinaires, termine Léa.

– C'est ça !

Les enfants échangent un sourire : oui, c'est exactement ça !

FIN

★ ★ ★ ★ ★ ★ ★ ★ ★ ★

Tu peux suivre

de nouvelles aventures

de Tom et Léa

au fil de quatre volumes :

Sur scène !, n°20

Gare aux gorilles !, n°21

Drôles de rencontres en Amérique, n°22

Grosses vagues à Hawaï, n°23.

★ ★ ★ ★ ★ ★ ★ ★ ★ ★

Si tu as envie de nous donner
tes impressions sur la série
ou nous parler de **tes propres voyages**,
réels ou imaginaires,
n'hésite pas à nous écrire !

Bayard Éditions
Série Cabane Magique
18, rue Barbès
92128 Montrouge Cedex

N'oublie pas d'écrire
ton nom et ton adresse sur la lettre !